구룬파 유치원

한림출판사

이것은 구룬파가 쓴 글자입니다.

구룬파는 굉장히 큰 코끼리.
오랫동안 외톨이로 살아와서
매우 더럽고 지독한 냄새도 납니다.

　외톨이 구룬파는 때때로
'외로워, 외로워.' 하며
풀에 귀를 비벼대곤 했습니다.
　그러면 굵은 눈물이 구룬파의 코를 타고
또르르 떨어졌습니다.

정글에서 구룬파를 둘러싸고
지금 한참 회의 중.
구룬파한테 냄새가 나서
코가 모두 하늘로 향하고 있습니다.

"구룬파는 다 컸는데도
늘 빈둥빈둥거려요."
친구코끼리가 말했습니다.
"그리고 때로는 훌쩍훌쩍 울어."

"그럼, 일을 하게 내보내자."
"그래, 그래."

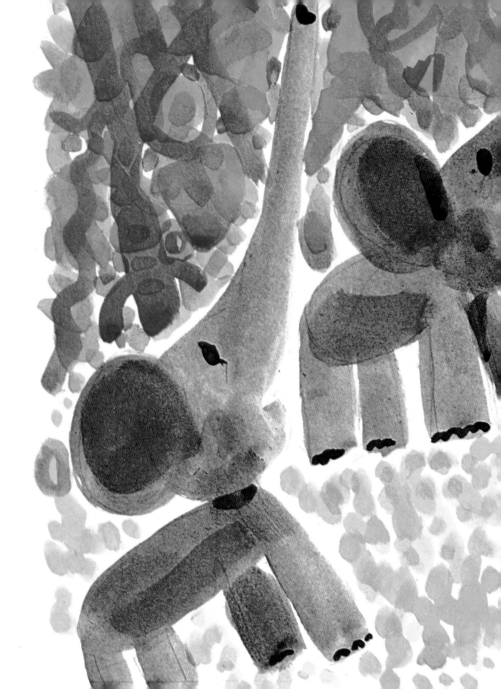

그래서 모두 구룬파를
영차영차 강으로
데리고 갔습니다.

그리고 수세미로 싹싹
구룬파를 씻기고
코 샤워기로 물을
듬뿍 뿌려 주었습니다.

구룬파는 몰라볼 정도로
멋지게 변했습니다.

자, 활짝 웃으며
출발!

맨 처음 구룬파가 간 곳은
비스킷 가게의 비-아저씨네.
구룬파는 있는 힘을 다해서
아주 커다란 비스킷을 만들었습니다.
"특대 비스킷 한 개 만원."
그런데 비스킷이 너무 커다랗고 비싸서
아무도 사지 않았습니다.
비-아저씨는
"구룬파야, 이제 비스킷 만드는 일은
그만두어야겠다."라고 말했습니다.
구룬파는 풀이 죽어
커다란 비스킷을 가지고 나왔습니다.

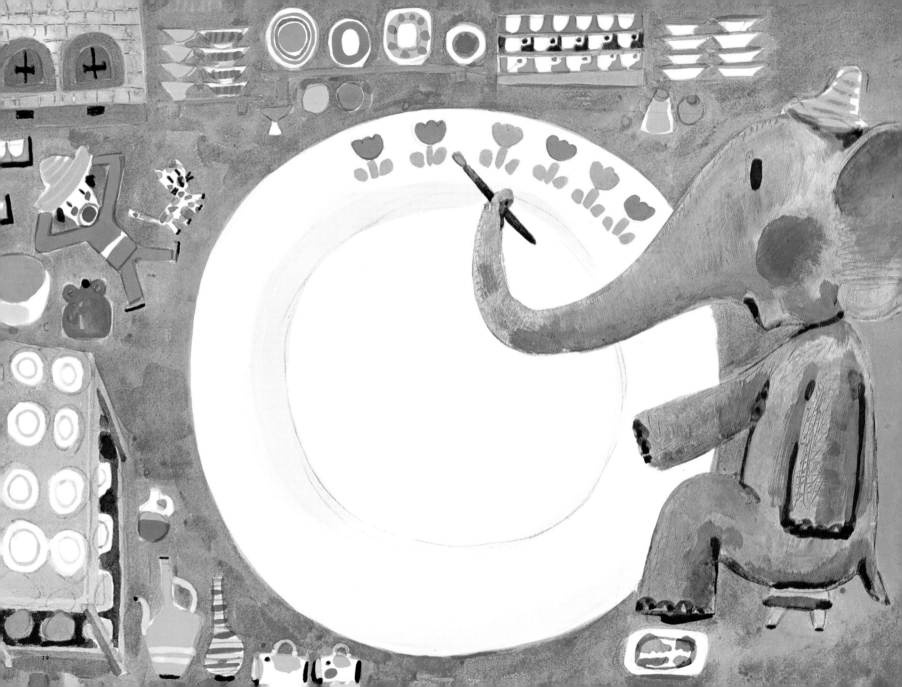

그 다음 구룬파가 간 곳은
접시 만드는 가게의 저-아저씨네.
　구룬파는 있는 힘을 다해서 접시를 만들었습니다.
　그런데 접시가 너무나 커서 연못 같았습니다.
　이런 접시에 담을 정도로 많은 우유는 없습니다.
　저-아저씨는 "구룬파야, 이제 접시 만드는 일은
그만두어야겠다."라고 말했습니다.
　구룬파는 더욱 풀이 죽어 비스킷과
접시를 가지고 나왔습니다.

그 다음 구룬파가 간 곳은
구두 가게의 구-아저씨네.
　구룬파는 있는 힘을 다해서
구두를 만들었습니다.
　그런데 너무나 커다란 구두는
구-아저씨가 쑥 들어가 빠질 정도여서
누구도 신을 수 없었습니다.
　구-아저씨는 "구룬파야, 이제 구두 만드는 일은
　그만두어야겠다."라고 말했습니다.
　구룬파는 더, 더욱 풀이 죽어
비스킷과 접시와 구두를 가지고 나왔습니다.

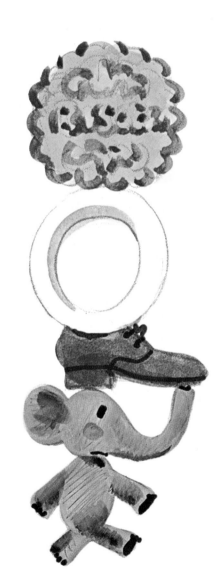

그 다음 구룬파가 간 곳은
피아노 공장의 피-아저씨네.
　구룬파는 있는 힘을 다해서
피아노를 만들었습니다.
　그런데 너무나 커다란 피아노는
웬만큼 쳐서는 소리가 나지 않아서
누구도 칠 수 없습니다.
　피-아저씨는 "구룬파야, 이제 피아노 만드는 일은
　그만두어야겠다."라고 말했습니다.
　구룬파는 더, 더, 더욱 풀이 죽어
비스킷과 접시와 구두와 피아노를 가지고 나왔습니다.

마지막으로 구룬파가 간 곳은
자동차 공장의 자-아저씨네.
  구룬파는 여기서도 있는 힘을 다해서
자동차를 만들었습니다.
  그런데 굉장히 커다란 자동차에 타 본 손님이
"앞이 안 보여서 운전할 수 없어요."라고 소리치자
자-아저씨도 "구룬파야, 이제 자동차 만드는 일은
그만두어야겠다."라고 말했습니다.

구룬파는
더,
더,
더,
더욱
풀이 죽었습니다.
구룬파는 몹시 실망해서
비스킷과
접시와
구두와
피아노를
자동차에 싣고 나왔습니다.

또 전처럼
눈물이 나려고
했습니다.

한참 가자 아이가 12명이나 있는 엄마가
　"아, 바쁘다, 바빠. 셔츠가 12장에
　반바지도 12장, 앞치마가 12장, 양말은 24짝.
　바쁘다, 바빠."하며
빨래를 하고 있었습니다.
　마침 구룬파를 보자
　"미안하지만 아이들과 같이
　놀아 주겠니?"하고 부탁했습니다.

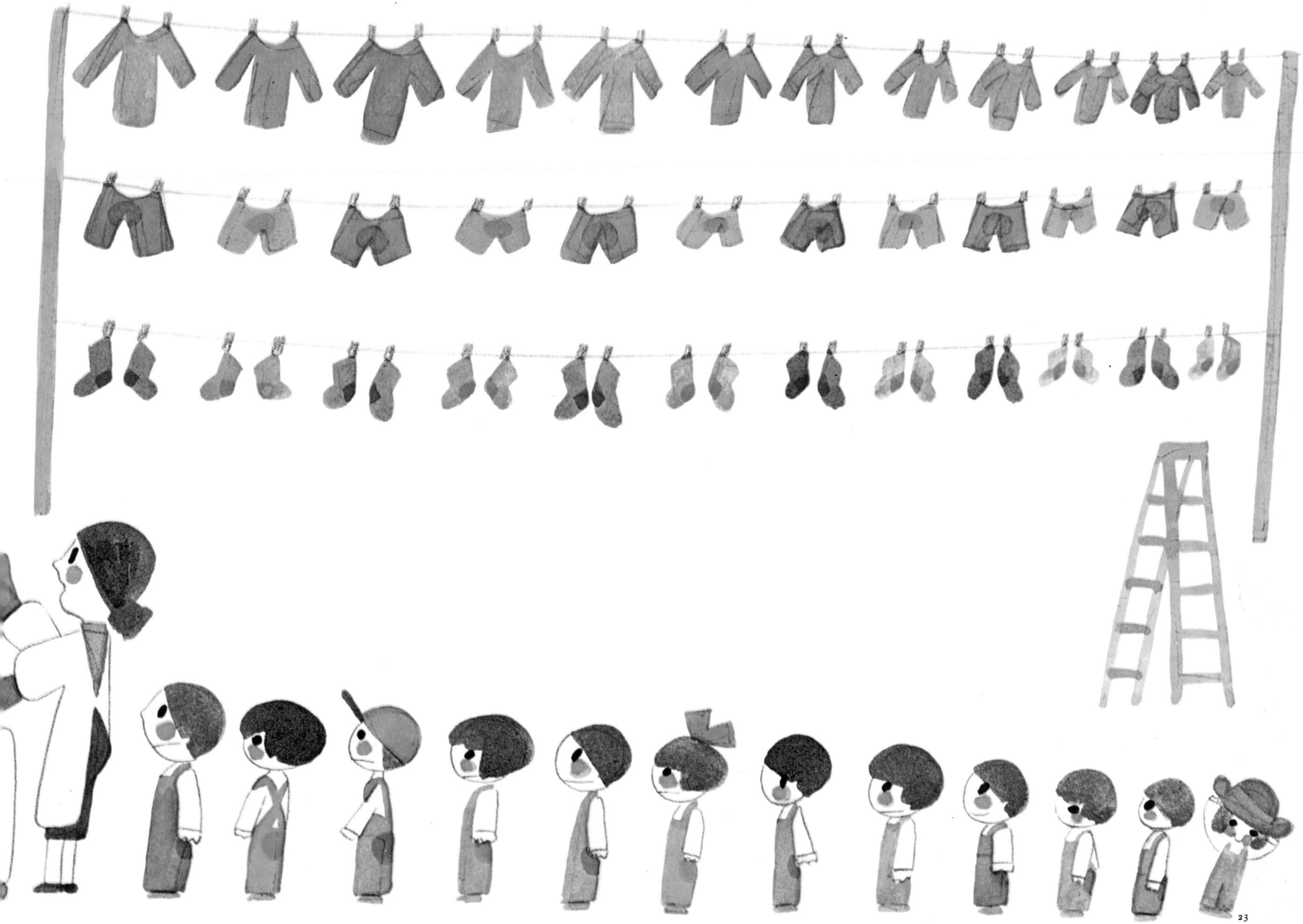

구룬파는 피아노를 치며
노래를 불렀습니다.
♬모-두 볼이 빨갛네.
손은 진흙으로 시커멓네.
나는 커다란 코끼리라네.♪
아이들은 무척 즐거워했습니다.
노래를 듣고 여기저기에서 아이들이 몰려들었습니다.
구룬파와 같은 외톨이 아이들도 많이 왔습니다.
구룬파는 비스킷을 쪼개어 아이들에게 나누어주었습니다.

니시우치 미나미 글

1938년 일본 교토에서 태어나 동경여자대학교를 졸업하고 광고 회사에서 10년 정도 카피라이터로 근무했다. 재학 시절부터 동화와 그림책 창작 활동을 해 왔다. 작품으로는 그림책『태평한 할아버지와 고양이』『문득 떠올리면 그때로』『오줌싸개의 책』, 동화책『숲의 대소동』『카터와 다섯 아이』등이 있다.

호리우치 세이치 그림

1932년 일본 도쿄에서 태어나 그래픽 디자이너로 일하고, 카메라 잡지, 패션 잡지 등에서 편집과 디자인 작업을 했다. 일러스트레이터로서 그림책과 어린이책 분야에서 활약했다. 작품으로는『뼈』『피 이야기』『엄마 잃은 아기참새』『나무꾼과 늑대』『종이 로봇 카미』『프라이팬 할아버지』『나의 눈 너의 눈』등이 있고, 편저서『그림책의 세계- 110인의 일러스트레이터』등이 있다. 1987년 작고했다.

이영준 옮김

부산에서 태어나 부산사범학교와 부산대학교 법대를 졸업했다. 개천예술제에서『동물원의 새나라』로 작품상, 연출상을 수상하여 문단에 데뷔, 한국아동문학인협회장을 역임하였고 현재 한국문학교육연구회, 책나라 독서회 회장으로 일하고 있다.『이슬이의 첫 심부름』을 비롯해 많은 번역서와『탐정클럽 1·2』『숙제왕 그룹』등 창작작품 100여 권이 있다.

구룬파 유치원

1997년 8월 1일 1판 1쇄
2014년 2월 24일 1판 27쇄

글쓴이 니시우치 미나미
그린이 호리우치 세이치
옮긴이 이영준

펴낸이 임상백   편집관리 이규민, 윤경란   디자인 이혜희, 김선경   독자감동 이명천, 김길한, 이호철, 신경애   경영지원 남재연

Text ⓒ 1965 by Minami Nishiuchi & Illustrations ⓒ 1965 by Seiichi Horiuchi
Originally published by Fukuinkan Shoten, Publishers, Inc., Tokyo, Japan, in 1965.
All rights reserved.
Korean Translation Copyright ⓒ 1997 by Hollym Corp., Publishers, Seoul, Korea

ISBN 978-89-7094-194-3 77890

* 값은 뒤표지에 있습니다.
* 잘못 만들어진 책은 구입하신 곳에서 바꾸어 드립니다.

한림출판사
Hollym

주소 (110-111) 서울특별시 종로구 종로12길 15 | 등록 1963년 1월 18일 제 300-1963-1호
전화 02-735-7551~4 | 전송 02-730-5149 | 전자우편 info@hollym.co.kr | 홈페이지 www.hollym.co.kr